D1271788

Ont collaboré à cette publication:

Véronique Cossette
Daniel Rodrigue
Virginie Valastro

L'impression de cet album a été faite en quadrichromie sur papier Supreme gloss 200M et Supreme gloss 220M par les maîtres imprimeurs de l'imprimerie *Transcontinental Québec*.

ISBN  2-9807642-1-3

Dépôt légal: Bibliothèque nationale du Québec, 2003
Bibliothèque nationale du Canada, 2003

courriel: production@rosefilms.ca

© 2003, Rose Films (éditions)

**Données de catalogage avant publication (Canada)**

Raymond, Marie-José, 1941-

Raconte-moi la Nouvelle-France, raconte-moi le Québec

Pour enfants.

ISBN 2-9807642-1-3

1. Canada - Histoire - Jusqu'à 1743 (Nouvelle-France) - Ouvrages pour la jeunesse. 2. Canada - Histoire - Jusqu'à 1763 (Nouvelle-France) - Ouvrages illustrés. 3. Québec (Province) - Histoire - Ouvrages pour la jeunesse. 4. Québec (Province) - Histoire - Ouvrages illustrés. I. Fournier, Claude, 1931-    . II. Rose Films Inc. III. Titre.

FC305.R39 2003        j971.01        C2003-941157-5

# raconte-moi La Nouvelle-France

## raconte-moi Le Québec

concept et illustrations
**Marie-José Raymond**

textes
**Claude Fournier**

Rose Films (éditions)

# Le plus Grand voyage du Monde

Autrefois, il y a de cela très longtemps, lorsque les bateaux n'avaient pour naviguer que le vent dans leurs voiles, beaucoup de gens croyaient que la terre était un grand disque plat. Arrivé au bout, on tombait dans le vide pour disparaître à jamais!

— Impossible, s'écria le jeune Christophe Colomb, on ne peut jamais arriver au bout de la terre: c'est une boule!

Dans la taverne, tout le monde s'arrêta de boire. «La terre est une boule! Mais il perd la boule!», se moquaient les clients en se tenant les côtes.

— D'où tu sors, marin d'eau douce? demanda à Christophe un vieil artisan qui venait de livrer ses tonneaux dans le port.

— Vous saurez que je navigue depuis que j'ai l'âge de quatorze ans, répliqua fièrement Christophe. Et aussitôt qu'on m'en donnera les moyens, je voguerai vers l'ouest jusqu'à ce que j'arrive en Inde. C'est mon rêve!

— L'Inde est à l'est, tout le monde le sait, ricane le vieux, je ne vois pas comment tu vas y arriver en mettant le cap à l'ouest. Le nord, le sud, l'est, l'ouest, ça s'appelle les points cardinaux. Commence donc par apprendre où ils se trouvent!

Lorsqu'il était en mer, Christophe Colomb passait beaucoup de temps à observer les étoiles et à s'instruire. Il avait lu comment Marco Polo était allé jusqu'en Chine en voyageant toujours vers l'est. Mais quel voyage interminable!

Donc, le jeune marin avait tenu le raisonnement suivant: si la terre est ronde et qu'il faut tellement de temps pour aller en Asie par l'est, allons-y par l'autre côté, ce sera plus court.

Il avait aussi étudié les voyages légendaires du moine saint Brandan sur l'Atlantique. On lui avait parlé du Viking Érik le Rouge qui avait trouvé au Groenland des baleines énormes, des narvals aux précieuses défenses d'ivoire et des quantités de poissons indescriptibles.

Christophe Colomb ne pensait qu'à partir. Il n'en dormait plus. Mais il lui fallait de l'aide! Pourquoi pas le roi d'Espagne?

— Majesté, implora-t-il, si vous me fournissiez des hommes et des bateaux, je partirais pour le plus grand voyage du monde; j'irais jusqu'en Inde en naviguant sur l'Atlantique. Je vous rapporterais en retour de l'or et des épices.

Ferdinand se tourna vers la reine Isabelle, à qui le navigateur avait fait si bonne impression, qu'elle suggéra au roi de lui accorder tout ce qu'il demandait.

Une flottille prit bientôt la mer, sous les ordres de Christophe Colomb. Il y avait un grand voilier; on pense qu'il s'appelait le *Santa Maria*. Et deux, plus petits, des caravelles: la *Pinta* et la *Niña*.

Après deux mois, toujours pas de terre! Les marins de Colomb commençaient à avoir très peur. Pourraient-ils jamais revenir à la maison? Christophe Colomb n'était pas brave non plus, mais il ne pouvait pas le montrer. Un beau matin, le 12 octobre 1492, Rodrigue, le plus jeune de l'équipage, se mit à crier comme un fou, du haut de son poste de vigie: «Terre! Terre! Terre!»

C'était l'Amérique! Mais Christophe Colomb ne le savait pas, il croyait être arrivé en Inde et c'est pourquoi il surnomma les habitants qu'il y trouva: «Indiens»!

La nouvelle du succès de Christophe fouetta l'imagination d'autres grands navigateurs. Jean Cabot, son fils Sébastien et Améric Vespuce appareillèrent à leur tour. Et le terrible Cortez qui fit la conquête de l'empire aztèque au nom du royaume d'Espagne. On se rendit compte bientôt que Christophe Colomb n'avait pas débarqué en Inde, mais qu'il avait découvert un nouveau continent qu'on appellerait bientôt «Amérique», empruntant le prénom de Vespuce.

Le roi François Ier de France eut envie à son tour d'agrandir son royaume. Il chargea un navigateur très expérimenté de Saint-Malo, Jacques Cartier, de commander une expédition vers le Nouveau Monde. Attention, François Ier! D'autres rois du vieux continent rêvent aussi aux trésors du Nouveau Monde!

Inuits

Montagnais

Micmacs

Améric Vespuce

Aztèques

Cortez

Érik le Rouge
1000

Jacques Cartier
1534

Saint Brandan
700

Cabot

Christophe Colomb
1492

Isabelle
De Castille

François Ier

L'Amérique, avec ses Inuits, Cris, Iroquois, Aztèques, Mayas et Incas, se dresse sur la route des navigateurs qui cherchent la voie de l'Inde. Christophe Colomb les découvre en 1492!

# Au nom du Roi de France

Donnacona, le chef iroquois, regardait travailler Jacques Cartier et ses hommes. Il ne comprenait pas. Le navigateur français avait fait abattre un grand arbre. On l'avait ébranché et on l'avait repiqué en terre après avoir fixé une branche en travers, près du sommet. Qu'est-ce qu'ils s'imaginent, pensa l'Indien, que l'arbre va repousser?

— Avec cette croix, déclara alors solennellement Jacques Cartier, je prends possession de ce territoire au nom du roi de France, François Ier.

Même sans comprendre le français, Donnacona vit tout de suite que cet homme avec du poil au visage se considérait le propriétaire de cette terre de Gaspé où il venait de planter ce curieux poteau. Le chef iroquois eut beau argumenter, faire tournoyer sa hache de guerre, Jacques Cartier ne broncha pas. Après tout, c'est le roi lui-même qui l'avait chargé, en ce printemps de 1534, d'étendre le royaume de France jusqu'à ce Nouveau Monde et de lui en rapporter les richesses.

Ce grand continent, découvert par Christophe Colomb, c'était comme un gâteau que tout le monde convoitait. Les rois d'Espagne et du Portugal en avaient déjà pris un gros morceau. Le roi d'Angleterre lui aussi en voulait, alors François Ier se dit qu'il fallait agir vite. Il avait envoyé Jacques Cartier en chercher une part pour la France.

Au pied de sa croix, Cartier commença à s'inquiéter de la mauvaise humeur des Indiens et remonta sur l'Émérillon. Puis, les voyant approcher dans leurs canots d'écorce, il tira deux coups de canon.

Tiens, un homme qui crache du feu, c'est peut-être plus sage de faire la paix avec lui, se dit Donnacona, qui accepta avec ses deux fils l'invitation à monter sur le bateau. Cartier leur offrit en cadeau de petits miroirs. Les Iroquois étaient émerveillés. Dans ces objets brillants et magiques, ils apercevaient leurs visages, eux qui ne s'étaient jamais mirés ailleurs que dans l'eau calme des lacs.

Cette année-là, Cartier retourna en France avec Domagaya et Taignoagny, fils de Donnacona, afin de leur apprendre le français. Le printemps suivant, il appareilla de Saint-Malo avec trois navires, 110 hommes et les deux Iroquois à qui on avait enseigné la langue et les coutumes des Blancs.

Donnacona avait bien cru ne jamais revoir ses fils. Excité, il indiqua au navigateur le chemin d'un fleuve qu'on nommera plus tard Saint-Laurent. «Enfin, exulta Cartier, le passage que je cherchais et qui mène sans doute jusqu'en Chine!»

Les navires remontèrent ce fleuve immense bordé de caps rocheux; l'eau, qui était salée, devint douce tout à coup. On pouvait en boire. Plus loin, Donnacona montra la rivière Saguenay. Au bout, on y trouvait toutes sortes de richesses! Deux jours plus tard, on arriva enfin à Stadaconé, la bourgade du chef. Cartier y établit une partie de sa troupe, mais lui voulait continuer jusqu'à Hochelaga, dès le lendemain.

C'est une nuit d'encre, sans lune! Cartier est réveillé en sursaut par des aboiements curieux et une haleine chaude sur son cou. Il bondit. Trois sorciers couverts de poils, la tête hérissée de cornes, gesticulent devant lui. S'il continue vers Hochelaga, il sera changé en glaçon et mourra. C'est une ruse du chef, il ne veut pas que j'aille là-bas, pensa Cartier.

Il navigua quand même jusqu'à Hochelaga et, au retour à Stadaconé, l'hiver commençait. Un hiver terrible. Les hommes de Cartier faiblissaient, leurs gencives saignaient. Une affreuse maladie les avait frappés: le scorbut! Ils mouraient les uns après les autres. Était-ce la vengeance du sorcier?

Pris de pitié, Domagaya leur donna le secret d'une potion étrange: la tisane d'annedda, faite d'épines de sapin et d'écorce de cèdre. La maladie s'arrêta net et Jacques Cartier put rentrer en France. Il rapportait d'extraordinaires nouvelles. Il avait découvert un fleuve qui menait peut-être jusqu'en Asie et une contrée, le Saguenay, où le chef Donnacona racontait qu'il y avait de l'or!

Que fais-tu?
Je prends possession
de la terre, dit Cartier.
Bizarre... pense l'Indien,
cette terre est à moi!

# Où est passé Samuel de Champlain?

Samuel de Champlain est né à Brouage, en France, mais on ne sait pas quand. Mystère! Dans les années soixante et quelques du seizième siècle. Très jeune, il prit goût à la mer et à la navigation. Pourquoi? Mystère! D'autant que le port de sa ville se mourait. L'océan et le vent avaient commencé à rouler sur lui d'épais linceuls de sable.

Ça et là, barques et bateaux, qui n'avaient pu prendre la mer à temps, s'ensablaient et sombraient lentement. Plutôt que de l'effrayer, ces fantômes marins ne faisaient que renforcer le goût de Samuel pour l'aventure.

Un jour, il partit à pied et marcha jusqu'en Bretagne. Un navire espagnol appareillait. Samuel réussit à convaincre le capitaine de le prendre à son bord; il ne savait pas encore naviguer mais il dessinait bien et pourrait tracer des cartes. Marché conclu!

Tandis que son voilier filait vers les Antilles, l'imagination de Samuel avait déjà fait le tour du monde. Il s'était même vu à la cour demandant au roi une fonction en Nouvelle-France. Comment ce rêve de Champlain alla-t-il jusqu'au roi? Mystère! Mais dès son retour, on le chargea d'une mission au Nouveau Monde. Il fit un premier voyage, puis il y retourna encore et décida d'y rester trois ans.

Il en abat du travail durant ces trois années, Samuel! Il remonte le Saguenay, descend le fleuve du Canada, note que les terres seraient aussi fertiles qu'en France à Kébek, lieu nommé ainsi par les Indiens parce que le fleuve se rétrécit. Continuant sa route, il croise une autre rivière qu'il remonte jusqu'à Saint-Ours. Revenu sur le fleuve, il se cogne le nez aux rapides d'Hochelaga. Comme pour Cartier, ça ne passe pas! Mais en questionnant les Indiens, Champlain apprend qu'au-delà, il y a les Grands Lacs et les chutes du Niagara. Il note tout!

L'année suivante, il longe la côte Atlantique jusqu'à l'endroit de Cape Cod. Il scrute les rivages, dessine sans arrêt et revient avec une carte précise de la Nouvelle-Angleterre.

La troisième fois que Champlain s'embarque pour la Nouvelle-France, en 1608, il prend la plus grave décision de sa vie: fonder Québec! Il y construit une habitation, une merveille: des logis, un magasin, une cave, le tout ceinturé de hautes palissades. Il sème du blé et du seigle, il plante des vignes.

Il fait venir Louis Hébert avec sa famille pour cultiver la terre. Hébert est pharmacien, mais il est fou de jardinage. Il plante en terre des graines venues des Azthèques. Des tomates! Longtemps, personne n'ose manger ces beaux fruits rouges dont l'odeur chasse les fourmis et les moustiques.

Champlain a l'idée d'un commerce infaillible: la colonie va vendre à la France du poisson et du bois et les fourrures qu'on achètera aux Indiens. Les Indiens... Justement, il faudrait bien leur apprendre l'Évangile. Il fait appel aux moines récollets. Pauvre père Le Caron! Malade durant toute la traversée, il a encore le cœur au bord des lèvres à son arrivée à Québec.

Champlain était petit. Il était maigre aussi. Mais il n'avait peur de rien. Dans une bataille contre les Iroquois pour aider ses amis hurons, il fut blessé: deux flèches dans la jambe. Champlain arracha lui-même les flèches mais dut se laisser porter par un Huron. Une autre fois, il aperçut un oiseau étrange et se perdit en forêt en le poursuivant. Trois jours à la belle étoile, en plein hiver, avant de retrouver son chemin!

Si, petit garçon, Champlain n'avait jamais quitté son port ensablé, s'il ne s'était pas entêté, plus grand, à soutenir la présence française le long du fleuve du Canada, qui sait? Il n'y aurait peut-être pas eu de Nouvelle-France. La colonie était fragile, certes, 150 habitants comparés aux 2000 Anglais de Boston, mais tout y était: agriculture, commerce, religion.

Voilà à quoi pensaient les amis qui entouraient Champlain, gravement malade, le jour de Noël 1635. Il partit ce jour-là, comme un cadeau de Noël offert à Dieu par la petite colonie. Depuis, son corps, pourtant enterré sous une chapelle de Québec, n'a jamais été retrouvé. Mystère! Mystère!

À l'endroit appelé «Kébek»
par les Indiens,
Champlain fonde la première ville
de Nouvelle-France, en 1608.

# Rendez-moi ma Mère!

Il y avait à Tours, il y a longtemps de cela, au début du dix-septième siècle, un enfant, Claude Martin, dont la mère parlait au bon Dieu. Elle lui parlait à l'église ou lui parlait en rêve, durant son sommeil. Il arrivait même qu'elle lui parle tout en marchant sur la rue ou en admirant un beau paysage.

Cette mère, qui se nommait Marie Guyart, avait eu un mari, un maître ouvrier de la soie, que la maladie avait emporté quand le petit Claude avait deux ans. Le pauvre homme ne lui laissa pas un sou, alors elle commença à travailler chez le mari de sa sœur, M. Paul Buisson, qui avait une grosse compagnie de transport.

À cette époque-là, la ville de Tours, sise au bord de la Loire, était un des plus importants ports de France. Par toute une série de canaux, on pouvait même remonter de Tours jusqu'à Paris, la capitale. Alors c'est facile d'imaginer le commerce qui se faisait là. D'autant plus que ce M. Buisson avait le contrat de transporter les canons de l'armée du roi.

Au début, Marie faisait le ménage et la cuisine chez son beau-frère, mais de fil en aiguille, elle finit par s'occuper du commerce. Elle voyait à tout.

Puis, un jour qu'elle racontait ses petites affaires au bon Dieu, il lui demanda: «Voulez-vous être à moi?» Le visage de Marie s'illumina: «Oui!» répondit-elle tout de suite. Depuis l'âge de 14 ans qu'elle souhaitait se faire religieuse! Mais ses parents avaient demandé qu'elle épouse ce M. Martin et maintenant, elle avait un fils de douze ans et dirigeait les affaires de son beau-frère!

Elle avait dit «oui» au Seigneur, alors elle abandonne tout et entre chez les Ursulines de Tours. Ce soir-là, au cloître, la novice qui a pris le nom de Marie de l'Incarnation mange en silence avec les autres religieuses. Tout à coup, un vacarme d'enfer! Sous les fenêtres du réfectoire, une bande de garçons tapent sur des casseroles et l'un d'eux hurle à fendre l'âme: «Rendez-moi ma mère, rendez-moi ma mère!»

Marie de l'Incarnation reconnaît la voix de son fils; elle en a le cœur brisé. Claude avait réuni ses petits amis pour protester devant le monastère. Ce ne fut pas facile pour elle de lui expliquer qu'elle venait de voir en rêve un vaste pays plein de montagnes et qu'elle avait entendu la voix du Seigneur lui dire: «C'est le Canada, il faut que tu ailles là bâtir une maison pour enseigner aux enfants».

Claude pleura beaucoup mais il comprit que sa mère ne l'abandonnait pas; elle venait d'être chargée d'une mission encore plus importante que lui.

— Moi, plus tard, j'aimerais devenir moine, lui dit-il en séchant ses larmes, alors envoie-moi étudier dans un collège et toi, pars tranquille pour le Nouveau Monde!

Lorsque Marie de l'Incarnation s'embarqua, à Dieppe, avec son amie Mme de la Peltrie et deux autres religieuses, Claude et sa mère restèrent longtemps dans les bras l'un de l'autre. Il savait qu'il faisait le sacrifice de sa mère et il l'avait accepté. Les deux passeront le reste de leur vie à s'écrire, mais ils ne se reverront jamais plus.

Chaque été, Claude recevait des piles de lettres. C'est ainsi qu'il apprit que sa mère avait failli périr avant même d'arriver à Québec. Ils avaient échappé de justesse à des corsaires puis leur bateau, perdu dans le brouillard, était passé à un cheveu d'un iceberg gros comme une ville. Trois mois de traversée! Parfois, ça remuait tant qu'il fallait manger à plat ventre par terre.

Enfin Québec! Les Ursulines sont accueillies par le gouverneur Montmagny. Marie de l'Incarnation se met tout de suite à l'œuvre. Elle bâtit un couvent, il brûle, elle le rebâtit et commence à enseigner aux filles des colons et aux petites Indiennes. Elle apprend leur langue et fait des dictionnaires iroquois et algonquin. Plus tard, Claude, devenu moine bénédictin, écrira un beau livre sur cette mère qui parlait à Dieu, cette aventurière qui vivait toujours dans son cœur.

Les missionnaires proposent un nouveau dieu aux Indiens.
Hélas! ils apportent aussi les maladies de leur pays.
Espérant que fièvre et vérole mourront avec eux,
on brûle vifs les hommes en robe noire.

«Grande Montagne»,
criaient les petits Indiens.
C'était le gouverneur Montmagny
sur le premier cheval de la colonie!

# Des Iroquois, des Iroquois Partout

Quand même tous les arbres de l'île se changeraient en Iroquois, j'irai établir une colonie à Montréal! C'est Paul de Chomedey de Maisonneuve, une vraie tête dure, qui venait d'affirmer cela à Québec, devant M. de Montmagny.

«Folle entreprise!» répliqua le gouverneur, tout à fait opposé à ce qu'on ouvre une colonie si loin, alors que les Iroquois se faisaient de plus en plus dangereux. Il ne se passait pas une journée sans massacres. Ils étaient devenus très fanfarons, les Iroquois, depuis que les Hollandais leur avaient vendu des armes à feu pour exterminer les Hurons qui ramassaient les fourrures au profit de leurs amis français.

Montmagny offrit plutôt à Maisonneuve et à son groupe de «Montréalistes» enragés de s'installer à l'île d'Orléans, juste à côté! «Jamais de la vie!», répliqua Maisonneuve.

Sauf qu'on était à la fin de septembre. Descendre jusqu'à l'île de Montréal, s'y établir avant l'hiver, c'était trop risqué. On attendrait donc à Québec la venue du printemps.

Jeanne Mance, qui accompagnait M. de Maisonneuve pour fonder un hôpital à Montréal, fut invitée à loger chez les Ursulines par Marie de l'Incarnation et sa bienfaitrice, Mme de La Peltrie. Au printemps, Mme de La Peltrie repartit avec Jeanne Mance emportant la vaisselle et la batterie de cuisine dont elle avait jadis fait cadeau aux Ursulines. Pauvre Marie de l'Incarnation! Plus un chaudron! Plus un couvert!

Le 17 mai 1642, M. de Maisonneuve et son groupe prennent possession de l'île de Montréal. Au début tout va bien, mais à l'automne: catastrophe! Les eaux du fleuve montent et menacent le fort construit pour se protéger des Indiens. Si l'inondation s'arrête, Maisonneuve promet de porter une croix sur ses épaules et de la planter au sommet du Mont-Royal. L'eau lèche la palissade, mais ne va pas plus loin. Depuis ce temps-là, une croix trône sur la montagne de Montréal.

Mais le fleuve, ce n'était rien à côté des terribles Iroquois!

L'année suivante, en effet, les Iroquois décident qu'ils vont débarrasser l'île des Français.

Ils rôdent partout, se tiennent en embuscade et se jettent férocement sur les téméraires qui osent s'éloigner du fort. En une seule journée de juin: six morts! Jeanne Mance doit abandonner son Hôtel-Dieu et se réfugier dans le fort avec ses malades. Mme de La Peltrie prend peur et revient à Québec chez les Ursulines avec ses chaudrons. Ça ne peut plus durer!

On fait venir de France une meute de chiens, la chienne Pilote à leur tête, pour débusquer les Indiens. Pilote en flaire tout de suite une bande. Maisonneuve s'élance à leur poursuite avec trente colons, mais il y a 200 Iroquois. Panique chez les colons, ils se sauvent. Maisonneuve voit le chef bondir pour lui trancher la gorge avec son couteau; il a juste le temps de décharger son pistolet. L'Iroquois tombe raide mort! Surprise, la bande se disperse et le brave Maisonneuve rentre au fort.

Puis, un jour de 1660, un jeune soldat des plus courageux nommé Dollard des Ormeaux résolut de donner une leçon aux Iroquois. Il partit en canot avec seize compagnons jusqu'au Long-Sault, un peu à l'ouest de Montréal. Il savait qu'au retour de la chasse, les Iroquois devaient passer par là. On leur servirait une bonne dégelée!

Dollard et ses hommes s'installent dans un petit fort abandonné et sont rejoints par 40 Hurons. On s'apprête à réparer la palissade quand des centaines d'Iroquois surgissent de la rivière. La fusillade éclate. Deux fois, les Iroquois se lancent à l'assaut et sont repoussés. Croyant faire face à toute une garnison, les Iroquois appellent au secours une armée de 500 des leurs qui partaient à l'assaut de Montréal.

Une bataille terrible s'engage.

Les Hurons fuient. Dollard et ses braves résistent pendant huit jours puis, en désespoir de cause, Dollard fabrique une bombe avec un baril de poudre. Il le lance mais une branche d'arbre le fait retomber dans le fort et les tue. Seulement dix-sept et ils ont résisté comme des loups, se dirent les Indiens, on ne va pas attaquer la garnison de Montréal, merci! Dollard venait de sauver la Nouvelle-France!

Malgré la menace iroquoise, Maisonneuve descend le fleuve, passe Trois-Rivières et vient fonder une ville sur l'île de Montréal.

# Monsieur Talon en Nouvelle-France

Louis XIV, roi de France, se pencha à l'oreille de son ministre Colbert et lui souffla: «Accordons la fonction à cet homme, il me semble fort habile!» C'est ainsi que Jean Talon fut choisi intendant de la Nouvelle-France.

Ce Monsieur Talon n'était pas seulement «bien», comme disait le roi, mais il était même «parfait»! Rarissime, un roi de France manifestait de l'intérêt pour la colonie. Hélas, ce fut le premier et le dernier!

Louis XIV était devenu roi à cinq ans, à la mort de son père. Mais pas question de gouverner lorsqu'on est un enfant! Alors c'est sa mère, Anne d'Autriche, qui prit en mains les affaires du royaume en se faisant aider par le cardinal Richelieu d'abord et le cardinal Mazarin ensuite. Eh bien, la Nouvelle-France ne pesait pas lourd dans leur esprit, ceux-là. Ils étaient trop pris en Europe par la guerre de Trente Ans et par la Fronde, une révolte des parlementaires et des princes.

Avec Louis XIV sur le trône et la confiance de Colbert envers l'intendant Talon, les choses allaient changer pour la Nouvelle-France. Il faut dire que le ministre Colbert avait résolu de faire de la France la nation la plus puissante du monde. Il considérait l'Amérique comme un des joyaux de la Couronne. Pour le moment, c'était plutôt la catastrophe dans la colonie: les habitants tremblaient devant les Iroquois, on n'osait plus faire la traite des fourrures et on ne pouvait pas faire d'enfants: on manquait de mamans!

Parti en mai, Talon descendit de bateau après une terrible traversée. Quatre mois! Mgr de Laval l'accueille en sauveur, mais Talon défaille presque dans les bras du premier évêque de Québec. Il a les jambes comme des chiffons et tout bouge autour de lui, même le cap Diamant! Le lendemain, Talon fait la grasse matinée, mais ce sera la dernière. Son patron Colbert travaille seize heures par jour, il fera comme lui. Première tâche: compter les habitants. Talon va lui-même frapper à toutes les portes. Total: 3500 habitants.

Les soldats du régiment de Carignan-Salières sont venus combattre les Iroquois. Maintenant, on leur demande de rester au pays et de se marier. Mais il n'y a pas de femmes. Alors, Talon en fait venir de France et le roi paie leur voyage; on les appellera donc les «filles du roi». Mais les familles établies en Nouvelle-France doivent aussi faire leur part. Elles sont mises à l'amende si les garçons ne sont pas mariés à vingt ans et les filles, à seize ans.

Toujours à la demande de Talon, le roi envoie des cadeaux aux nouveaux mariés et des allocations généreuses aux familles qui ont beaucoup d'enfants. Sept ans plus tard, la population a doublé: 7000 habitants. Mais attention! Les Anglais aussi prennent l'Amérique au sérieux; eux sont déjà 120 000! Et ils regardent avec convoitise la colonie française.

L'intendant Talon est en train d'y faire merveille.

Les paysans ont maintenant des bœufs et des chevaux pour travailler, ils entretiennent des troupeaux de vaches, élèvent des cochons et des moutons, cultivent du grain en quantité. La population a de quoi manger et bientôt, elle aura de quoi se vêtir. Talon a exigé en effet qu'on cultive du lin et du chanvre, et il force les gens à apprendre à tisser et filer. Il ouvre des tanneries pour le cuir et une fabrique de chaussures. Tout fier, il peut écrire au roi: «Majesté, j'ai maintenant ici de quoi me vêtir des pieds à la tête!»

Il ouvre même une brasserie et il échange avec les Antilles de la bière contre du sucre. La bière passe encore, mais l'eau-de-vie! Talon se prend aux cheveux à ce sujet avec Mgr François de Laval, un homme strict qui n'approuvait pas qu'on vende de l'alcool aux Indiens. À huit ans, le petit François rêvait déjà d'être prêtre, il portait une soutane et s'était fait raser un petit rond sur la tête, une tonsure! Qu'importe! Louis XIV tranche en faveur de Talon. Il peut continuer son commerce avec les Indiens, même s'ils abusent de l'eau-de-vie. Mgr de Laval est fou de rage.

LOUIS XIV

d'ANNE AUTRICHE

COLBERT

L'intendant Jean Talon s'installe à Québec et met de l'ordre dans les affaires de la Nouvelle-France.

# La jeune Fille et le drôle de Zigoto

Héroïsme! C'est un mot qui revient souvent lorsqu'on raconte l'histoire d'un pays aussi neuf et aussi vaste que la Nouvelle-France. D'un côté, les Indiens forcés de partager leur territoire se vengent cruellement et, de l'autre, ce sont les Anglais gourmands qui voudraient tout conquérir.

Mais il y a toujours un héros qui veille!

À Verchères, un jour d'octobre 1692, Madeleine, une fille de 15 ans à peine, était partie cueillir des fruits de pimbina. Les baies étaient d'un beau rouge orangé et elle devait les disputer aux perdrix qui achevaient de s'en délecter. Tout à coup, elle entend un drôle de bruissement dans l'herbe. Elle jette un œil: rien! Elle continue de cueillir et soudain, elle sent une main chaude s'abattre dans son dos. Elle se retourne brusquement: c'est un Iroquois, tomahawk à la main.

Elle bondit, réussit à se dégager et commence à courir vers le fort de sa famille, à une centaine de mètres plus loin. L'Iroquois la rattrape par son fichu. Elle continue à courir en défaisant habilement le nœud du fichu dans son cou et l'Indien se retrouve avec l'étoffe dans la main. Elle poursuit sa course folle sans se rendre compte que, derrière, les Iroquois arrivent de partout; il y en a une quarantaine. Les flèches et les balles lui sifflent aux oreilles.

Par miracle, elle réussit à refermer la grosse porte du fort juste à temps. Ses deux jeunes frères, un vieillard, des femmes, des enfants du voisinage et deux soldats qui avaient flairé une embuscade s'étaient déjà réfugiés derrière la palissade. Madeleine ordonne aux femmes et aux enfants qui pleuraient de se taire, elle met un chapeau de soldat sur sa tête et prend elle-même le commandement du fort.

Elle se démène tant et commande ses deux soldats avec tant d'aplomb que les Iroquois croient faire face à toute une garnison! Madeleine de Verchères les tient en respect huit jours, jusqu'à l'arrivée de renforts. C'est ça, l'héroïsme!

Drôle de zigoto, ce comte de Frontenac qui obtient en 1672 la charge de gouverneur de la Nouvelle-France. C'est un bon soldat, mais il a tendance à «trancher de l'éléphant», à se donner des airs! Heureusement, grâce à son parrain Louis XIII, Frontenac peut frayer en haut lieu. C'est ainsi qu'il décroche son poste à Québec. Il était temps! Il est criblé de dettes et les créanciers lui courent après.

Une fois dans son château de Québec, Frontenac se prend lui-même un peu pour le roi. Il décide de tout sans consulter personne. Il veut mettre sur pied un vaste empire de traite en ouvrant un poste sur le lac Ontario qui recueillera toutes les fourrures venant de l'ouest. Voilà qui met en colère M. Perrot, gouverneur de Montréal. Il s'oppose. Frontenac le fait arrêter! À part les dames qui adorent ses réceptions au château et ses feux d'artifice, Frontenac n'a bientôt que des ennemis dans le pays. Le roi Louis XIV décide de le rappeler en France!

Les gouverneurs qui le remplacent ne feront pas merveille. Puis, la guerre éclate encore entre l'Angleterre et la France. Une nouvelle que les Iroquois apprennent à New York avant tout le monde. Profitant de la confusion, ils attaquent le bourg de Lachine et massacrent les colons. Les Anglais, eux, menacent la colonie par la Nouvelle-Angleterre et par la mer! Il n'y a qu'un homme pour leur faire face: Frontenac. Le roi le renvoie donc en Nouvelle-France. Gare à vous, les Anglais!

Parti de Boston, sir William Phips jette l'ancre devant Québec avec 32 bateaux. Il envoie un messager à Frontenac avec un ultimatum: «Capitulez!» Rouge de colère, Frontenac répond au porteur: «Dites à votre général que je lui répondrai par la bouche de mes canons!» En effet, les canons tonnent pendant plusieurs jours et la flotte anglaise rebrousse chemin. Une dizaine de navires sont coulés ou périront au retour.

Six ans plus tard, trop vieux pour marcher, Frontenac se fait porter dans une chaise et mène une guerre pour briser la résistance iroquoise. Il inspire à tous le même mot: héroïsme!

Sous Talon, la Nouvelle-France a beaucoup progressé. Ce serait un paradis, sans la menace obstinée des Anglais et des Iroquois!

# Amérique, Terre d'aventures!

Fine comme une mouche, Marie de l'Incarnation avait noté un jour dans son journal: *«Un Français devient plus vite indien qu'un Indien devient français»*. Elle avait raison. Il fallait souvent peu de temps aux nouveaux arrivants ou à leurs fils nés ici pour succomber à l'appel de l'aventure et à la curiosité d'explorer ce mystérieux continent.

Les rivières tumultueuses, les lacs immenses, les vastes forêts, les tribus sauvages... Le danger était partout mais il ne fit jamais reculer ces explorateurs intrépides. Ces hommes-là étaient d'une endurance sans limite. Ils pouvaient marcher des semaines en mangeant trois fois rien: un morceau de viande séchée, quelques poignées de maïs; ils sautaient les rapides dans leurs canots d'écorce, avironnaient parfois jusqu'à dix-huit heures par jour, couchaient à la belle étoile, narguaient le froid ou les moustiques: c'étaient de vrais surhommes!

La famille de La Vérendrye, par exemple, tous des explorateurs! D'abord Pierre, le père! Après sa carrière dans l'armée, il a l'ambition de découvrir la mer de l'ouest, ce raccourci mystérieux dont tout le monde rêve depuis Christophe Colomb et qui mènerait directement à l'Orient.

La géographie de l'Amérique commence à se préciser dans les esprits. On connaît le golfe du Mexique, on s'imagine que, par là ou peut-être en haut par la baie d'Hudson, on déboucherait sur le Pacifique. Et il doit bien y avoir quelque part au centre une autre route vers le Pacifique et l'Orient.

La Vérendrye questionna l'Indien Vieux Crapaud qui avait beaucoup voyagé, puis il se fit dessiner une carte sur un morceau d'écorce par le chef Auchagah. C'est ainsi qu'avec ses fils, il se rendit presque au pied des montagnes Rocheuses. Les périlleux voyages des La Vérendrye étendirent la colonie plus loin que le Manitoba, mais ils coûtèrent la vie à deux d'entre eux et, grosse bavure! la famille s'adonna aussi au commerce des esclaves indiens.

Jean Nicollet: en voilà encore un autre qui cherchait la route de l'Orient!

Un peu frappé, Nicollet était si sûr de se retrouver en Chine au bout des grands lacs qu'il s'était fait tailler une robe fleurie de mandarin qui faisait bien rire ses guides indiens. Et tout au long du voyage, il traîna des cadeaux pour l'empereur de Chine qu'il ne rencontra évidemment jamais!

Quant au père Marquette, il rêvait d'évangéliser et Louis Jolliet, lui, de commercer. Alors ensemble, ces deux hommes montèrent une expédition qui les mena en canot jusqu'au fabuleux Mississipi, ce fleuve dont parlaient souvent les Indiens mais qu'aucun Blanc n'avait encore vu. Plus les deux allaient vers le sud, plus ils s'émerveillaient des paysages; ils apercevaient des oiseaux étranges, des plantes fantastiques, des bisons en troupeaux de centaines de têtes. À coups d'aviron, ces braves aventuriers ont traversé l'Amérique du Nord sur presque toute sa longueur. Cinq millions de coups d'aviron au moins!

Plus tard, Cavelier de La Salle et son bras droit Tonty iront jusqu'au delta du Mississipi. Cavelier plantera une croix et prendra possession de la Louisiane au nom du roi Louis XIV. Puis, fatigués de n'avoir rien d'autre à manger que du crocodile et des écrevisses, ils reviendront en Nouvelle-France.

Au nord, du côté de la baie d'Hudson, il s'en passsait aussi des choses! Français et Anglais se disputaient ce territoire riche en fourrures. Radisson et Des Groseillers en prirent un moment possession pour la France, puis l'instant d'après, ces aventuriers décidèrent de passer du côté de l'Angleterre. On fonda alors la Hudson's Bay Company qui accapara la traite des fourrures. Riposte éclair de Québec avec Pierre Le Moyne d'Iberville! Après une lutte épique, d'Iberville reprend la baie d'Hudson et tous ses comptoirs de commerce.

Louis XIV demande ensuite au héros de faire voile vers la Louisiane que les Anglais menacent. D'Iberville a vite raison d'eux. Mais des compromis politiques permettront bientôt aux Anglais de reprendre la baie d'Hudson et la Louisiane. Les exploits de d'Iberville n'auront servi à rien!

Sur les bords du fleuve Mississipi,
le chaman navajo allait chantant :

«La beauté devant moi fait que je marche
et la beauté au-dessus fait que je marche,
la beauté tout autour fait que je marche.»

# Les Rois font la guerre, Évangéline pleure

S'il y avait, au milieu du dix-huitième siècle, deux rois qui n'arrêtaient pas de se regarder en chiens de faïence, c'étaient Louis XV de France et George II d'Angleterre. Leurs pays avaient, il faut dire, tout un héritage de discorde: Guillaume le Conquérant qui envahit l'Angleterre, les Anglais qui font brûler Jeanne d'Arc, des guerres à n'en plus finir, dont une qui va s'éterniser pendant cent ans!

Comble de malchance pour la France et sa colonie, dont les affaires autour de 1750 vont plutôt bien, William Pitt, un homme redoutable, prend la tête du gouvernement anglais. Tandis que l'intrigante marquise de Pompadour mène Louis XV par le bout du nez et lui fait faire toutes sortes de bêtises, George II, lui, peut compter sur un premier ministre qui s'est juré de donner à l'Angleterre la meilleure marine au monde et de chasser la France de l'Amérique.

Il commence par un coup d'éclat: Louisbourg, sur l'île Royale! Cette forteresse avait été édifiée pour protéger l'entrée du golfe Saint-Laurent. Inspirée par des plans du célèbre ingénieur militaire Vauban, ces fortifications étaient soi-disant aussi imprenables que Gibraltar...

Des sornettes! En moins de dix ans, Louisbourg tombe deux fois aux mains des Anglais. La dernière fois, en 1758, ce sont les hommes du jeune général Wolfe qui s'emparent de la batterie de l'îlot dont les canons pointent normalement vers la mer pour mieux protéger Louisbourg. Eh bien, les Anglais ne font ni une ni deux: ils font tourner les canons sur leurs bases et les braquent contre la forteresse qui s'écroule sous le feu de sa propre artillerie. Pas plus malin que ça!

Pitt ne va pas s'arrêter là dans son nettoyage. Depuis le traité d'Utrecht, la Nouvelle-Écosse a été cédée aux Anglais, mais il y a dans la région huit mille Acadiens qui parlent français et continuent de pencher vers la France. Et pire que tout, ils refusent de jurer fidélité au roi anglais. On décide donc de se débarrasser de ces rebelles!

Lawrence, Monckton, Winslow, Handfield, des noms que les Acadiens ne sont pas à la veille d'oublier. Ce sont ces officiers qui ont commandé la salle besogne de la déportation.

Fin août, on laisse le temps aux Acadiens d'engranger la récolte puis, sous toutes sortes de prétextes mensongers, on les entasse dans des églises. Qu'importe si on sépare les maris de leurs femmes ou les parents de leurs enfants, on les force à monter sur des bateaux qui les mèneront n'importe où, le plus loin possible. Puis, on met le feu à leurs maisons.

Ce samedi-là, Évangéline devait se trouver à l'église de Grand-Pré pour épouser son fiancé Gabriel. Ils y sont! Enfermés avec les autres, mais ce n'est pas pour leur mariage. Quand on ouvre les portes, c'est pour les déporter. Évangéline et Gabriel restent soudés; ils sont déjà mariés dans leur cœur et veulent être exilés ensemble. Atroce déchirure, on les sépare de force, on les pousse vers des bateaux différents.

Des semaines plus tard, lorsque jette l'ancre quelque part au Maryland le bateau qui transporte Évangéline, il ne lui reste qu'une image en tête: celle de son Gabriel! Sur le bateau l'emportant loin d'elle, elle le revoit soufflant des baisers que le pavillon britannique efface en claquant au vent comme une gifle. Ce sol du Maryland lui est étranger, mais Évangéline lève la tête vers le ciel; il est bleu comme en Acadie, l'espoir revient. Il faut qu'elle retrouve son Gabriel.

Elle apprend que beaucoup d'Acadiens ont été débarqués en Louisiane. Elle ira. Durant des années, elle cherche, elle va de village en village. Jamais de Gabriel. Son espoir vacille, s'éteint. Elle se fait sœur hospitalière. Afin de guérir son cœur, elle soignera les autres. Un jour, une plainte dans un hôpital de Philadelphie la fait s'approcher d'un homme qui se meurt. Elle est vieille, elle ne voit plus bien, mais elle reconnaît ce gémissement qui lui va droit à l'âme: c'est lui enfin, c'est son Gabriel! Elle le prend dans ses bras et recueille son dernier souffle comme un baiser.

Le peuple acadien est arraché à son pays,
Louisbourg tombe aux mains des Anglais.
Un combat à finir s'engage entre les
rois de France et d'Angleterre!

# Wolfe, le Renard roux

Wolfe avait les cheveux d'un rouge presque aussi vif que sa tunique de général anglais. Et justement, en ce début de septembre 1759, l'extrême pâleur de son visage tranchait en blanc sous la couronne flamboyante de sa tignasse. Il était malade comme un chien.

James Wolfe n'avait que 32 ans et pourtant, le roi George II lui avait confié une mission fantastique: conquérir Québec et la Nouvelle-France. Il disposait d'une armée aguerrie et d'une flotte de 49 vaisseaux, dont certains avaient cinquante canons. Cinquante gueules pour cracher le feu et la mort!

Mais voilà! Wolfe était devant Québec depuis deux mois et n'arrivait pas à y prendre pied. Disons-le: Champlain avait choisi tout un site pour bâtir Québec: la ville fortifiée au sommet d'une falaise abrupte, le fleuve à ses pieds. Wolfe, dont l'armée campait sur l'île d'Orléans, avait tenté une invasion du côté de Montmorency. Les Français, sous les ordres de Montcalm, les avaient vite repoussés. Les Anglais traversèrent alors à Pointe-Lévy. Wolfe ordonna qu'on y installe des canons. Du cap Diamant, on les voyait faire, mais le tout Québec riait dans sa barbe. Avec la largeur du fleuve, tirer de Lévy, ça allait être ploc et plouf et floc dans l'eau! Terrible surprise: les bombes se mirent à pleuvoir sur Québec qui s'écroulait morceau par morceau. Malgré tout, l'armée de Montcalm ne bougeait pas. Pas besoin, juste à attendre le milieu de septembre. La flotte anglaise partirait d'elle-même, sinon elle resterait coincée dans les glaces.

Ça, il le savait aussi, le pauvre Wolfe. Ce soir-là, il l'écrivit même à sa mère: *«J'ai de bien meilleurs soldats que lui, mais je n'arrive pas à le faire sortir, ce vieux renard de Montcalm. Ma chère maman, ton petit général se morfond et devient fou...»*

Fou et malade! Rhumatismes, pierres aux reins, il en hurlait. Et les coliques donc! Vingt voyages aux toilettes par jour. Il pouvait bien être grognon! En désespoir de cause, Wolfe décida d'attaquer plus haut que Québec.

Naviguant de nuit pour repérer un endroit où débarquer, du côté de Neuville, Wolfe aperçut à l'anse au Foulon un sentier casse-cou, accroché à la falaise. Si l'armée arrivait à grimper, elle se retrouverait aux portes de Québec. L'idée était folle, mais Wolfe en avait vu d'autres. Après tout, à treize ans, il était déjà sur les champs de bataille. En cette nuit de lune du 13 septembre, l'ordre est donné: tout le monde en haut de la falaise! Le sentier est si à-pic qu'il n'est même pas gardé.

Au lever du soleil, il y a 4800 hommes en tuniques rouges alignés sur les plaines d'Abraham et prêts à se battre. Tour de force, ils ont même réussi à hisser cinq gros canons!

Lorsqu'un messager vient annoncer cela à Montcalm, ce dernier le croit cinglé. Il attend les Anglais du côté de Beauport. En fait, il ne les attend même plus: il est certain de les voir repartir car l'hiver approche.

Depuis le début, quand la colonie a eu besoin d'un héros, il s'en est toujours trouvé un. Cette fois, hélas, au moment le plus critique, il n'y aura que Montcalm pour la défendre, ce piètre général débarqué ici seulement pour gagner de l'argent. Il méprise les gens, les trouve rustres, tous des «deux de pique», y compris Vaudreuil, premier gouverneur général né dans la colonie et sur lequel il n'arrêta jamais de déblatérer.

À la cour de France, la colonie en péril n'avait rien obtenu. Tous étaient allés supplier Louis XV: Montcalm, Vaudreuil, même l'intendant Bigot qui avait tant profité de son séjour à Québec pour s'enrichir. Non, la Nouvelle-France ne pesait pas lourd dans l'estime du roi et de ses courtisans!

Montcalm arrive sur les plaines à bout de souffle, lance son armée sans réfléchir contre les Anglais qui ouvrent le feu. Une heure plus tard, les Français sont en déroute, c'est la fin de la colonie! Wolfe meurt en héros dans la bataille. Son corps sera renvoyé en Angleterre dans un baril de saumure, comme un cornichon. Blessé, Montcalm meurt lui aussi tandis que la France ne semble même pas se soucier de perdre sa colonie.

En pleine nuit, les Anglais en tuniques rouges
grimpent à l'assaut de Québec.
Attaque surprise! La colonie se rend.
C'est la mort de la Nouvelle-France!

# La Nouvelle-France n'existe plus

Tambour de tristesse. Rataplan, plan, plan! Le rataplan qui accompagnait les armées françaises sonnait aussi le glas de la colonie. Le petit Joseph Papineau était parti en courant de la tonnellerie de son père pour assister à l'embarquement, dans le port de Montréal, des troupes vaincues qui retournaient en France. Septembre 1760. Un an à peine depuis la chute de Québec et c'était toute la Nouvelle-France qui se retrouvait sous la domination anglaise.

Joseph allait avoir 8 ans. Il avait les larmes aux yeux. On lui avait raconté que le commandant Lévis avait brûlé tous ses drapeaux plutôt que de les remettre aux vainqueurs. L'élite de la société s'en retournait aussi en France: gouverneur, intendant, enfin tous ceux qui avaient un rang! Bon, les gros marchands restaient, eux, parce qu'ils ne détestaient pas commercer avec les Anglais; le roi de France était très mauvais payeur! Le clergé aussi restait, et les religieuses.

Avec son commerce de tonneaux, le père de Joseph arrivait tout juste à vivre; c'est évident qu'il n'avait pas, lui, les moyens de partir et qu'il devrait rester dans ce pays qu'on appellerait désormais «province de Québec».

En revenant à l'atelier de son père, la tête basse, les yeux humides, Joseph conçut un dessein très ambitieux: à la fin de ses petites classes, il irait faire des études classiques à Québec et deviendrait quelqu'un. La province de Québec avait besoin d'une nouvelle élite: il en ferait partie!

Comme Joseph était vif et curieux pour son âge, il voulut comprendre ce qui était arrivé à son pays de Nouvelle-France; pourquoi obéissait-il maintenant au roi d'Angleterre plutôt qu'au roi de France? Et devrait-il, lui, arrêter de parler français? Il se mit à questionner et à prendre des notes dans un carnet pour ne rien oublier.

Il allait parfois rendre de petits services aux sœurs grises à l'Hôpital général. Il en profita pour questionner la supérieure, mère Marguerite d'Youville. Elle savait que le haut clergé avait été plutôt conciliant avec les Anglais, elle hésita, puis...

«Pauvre enfant, répondit-elle avec tristesse, nous avions toujours pensé que la France ne nous abandonnerait pas, nous nous sommes bien trompés.»

En 1766, lorsque Joseph entra au Séminaire de Québec, les Anglais venaient d'autoriser le retour de M\gr Briand, consacré en France. Évidemment, l'évêque avait déjà reçu des Anglais un cadeau en argent pour «bonne conduite» et il avait promis de prêcher la soumission aux conquérants. Le jeune Papineau avait toujours un peu honte en écoutant de tels sermons. *(C'est lui avec la petite boucle rouge, au bout de la deuxième rangée de gauche, dans la chapelle des Ursulines)* À la sortie de la messe, une mère ursuline lui confia: «Nous avons la paix, c'est vrai, mais quelle douleur quand on sait que la France a laissé aller le Canada pour une bouchée de pain!»

Joseph Papineau émerveillait ses professeurs. Les grands philosophes, français et anglais, le passionnaient. La politique aussi! Et en voyant évoluer les choses, il se disait que le choc brutal de la conquête serait peut-être plus facile à supporter pour ses descendants que pour ceux de son âge. Après tout, les choses n'allaient pas trop mal, la province de Québec se relevait économiquement et les catholiques étaient libres de pratiquer leur religion. Bon! ils étaient exclus des fonctions administratives, mais cela allait bientôt changer.

À sa sortie du séminaire, Joseph fut d'abord arpenteur, mais il avait de l'ambition et décida de devenir notaire pour ensuite se lancer en politique. Il faut dire que ça bougeait au Canada. De crainte que les Canadiens français se joignent à la révolte qui grondait aux États-Unis contre l'Angleterre, Londres proclama l'Acte de Québec. Cet acte reconnut officiellement la religion catholique et la langue française. De plus, les Canadiens français pourraient dorénavant faire partie du gouvernement.

En 1791, un parlement du Bas-Canada est institué. Joseph Papineau, devenu notaire et marié à une fille de notaire, réalisera son rêve. Il se fera élire député de Montréal.

# Dehors l'Angleterre!

En Angleterre, ce n'est pas tout le monde qui s'était réjoui de la conquête de la Nouvelle-France. Au lieu de dépenser autant d'argent pour s'emparer du Canada, certains disaient que la Couronne britannique aurait mieux fait de serrer la vis à ce vilain garnement qu'était devenue la colonie américaine.

Au Canada, en 1760, on aurait bien souhaité ne pas être abandonné comme des orphelins par la France. Du côté des Américains, c'était le contraire: on voulait se débarrasser de l'Angleterre. Et pas sans raison! Le monarque anglais voulait qu'on l'aide à payer ses dettes de guerre contre la France.

«On ne décide rien! On ne paie rien!» répliquèrent les Américains. Et ça n'allait pas s'arrêter là!

Pourquoi? Parce qu'une bonne partie des colons émigrés d'Angleterre ne sont pas fous d'amour pour elle. Il y a, parmi eux, des protestants qui ont fui la persécution des Stuart, et des catholiques qui sont venus chercher refuge contre le tyran Cromwell. Ce n'est pas d'hier qu'il y a de la grogne!

Le 4 juillet 1776, le Congrès continental de Philadelphie approuve une déclaration d'indépendance. Les treize colonies américaines sont comme un serpent divisé en treize morceaux. *«S'unir ou périr»* devient leur devise et le commandement de l'armée est confié à George Washington. Quatre jours plus tard, la déclaration est lue en public. Pour faire grandiose, on veut faire sonner la cloche de la Chambre. Est-ce parce que cette cloche a été fondue à Londres? On ne saura jamais. Mais au premier coup de battant qui annonce l'indépendance, elle fend! Une grande fissure qui la rendra inutilisable à jamais. Depuis ce jour, elle porte le nom de «cloche de la liberté».

Non seulement ces colonies veulent-elles se séparer, mais elles invitent le Canada à se joindre à elles. George III appelle Mgr Briand à la rescousse. L'évêque se hâte de rappeler aux Canadiens leur serment d'allégeance à ce roi qui «les comble de faveurs». Et vous fait de petits cadeaux, Monseigneur!

La province de Québec refuse l'offre des Américains. C'est l'invasion! Montréal tombe, Québec est assiégée. On obéit à l'ordre de Mgr Briand: les Canadiens se rangent du côté de Londres contre l'armée américaine, qui sera repoussée.

La rage de l'Angleterre contre les rebelles américains va se poursuivre durant encore sept ans. Après des batailles épiques gagnées tantôt par les Anglais, tantôt par les Américains, la Couronne anglaise reconnaîtra enfin l'indépendance des États-Unis, en 1783.

Et curieusement, la France, qui fit si peu pour conserver le Canada, avait donné aux Américains le coup de main dont ils avaient besoin pour remporter la victoire. Elle leur vendit des armes et le marquis de Lafayette *(c'est lui qu'on aperçoit debout sous le nouveau drapeau américain)* passionné de révolution, vint à Philadelphie. Il se lia d'une grande amitié pour George Washington et réussit à convaincre le roi Louis XVI de lui envoyer 6000 soldats pour l'aider.

À la fameuse bataille de Yorktown, le Français Lafayette mit lui-même l'armée anglaise en déroute, assurant définitivement la victoire des Américains. Dorénavant, les treize colonies réunies se nommeraient les «États-Unis».

Il y avait des milliers d'habitants là-bas qui n'acceptaient pas la révolution. Ils souhaitaient rester fidèles à l'Angleterre. On les appelait les «loyalistes». Ils n'eurent pas le choix, ils remontèrent vers le Canada. Certains prirent le chemin de la Nouvelle-Écosse. D'autres, de l'Ontario. Des milliers vinrent aussi s'établir au Québec.

Les Cantons de l'Est ont été en bonne partie colonisés par ces loyalistes. Ce sont eux, par exemple, qui implantèrent la culture de la pomme à Frelighsburg, Dunham, Franklin et Abbotsford, où ils édifièrent de coquettes églises de bois blanc à l'ombre du mont Yamaska. Depuis ce temps, vivent côte à côte des habitants restés loyaux à la Couronne britannique et d'autres à qui la conquête de 1760 l'avait imposée...

La province de Québec
accepte la domination
de l'Angleterre tandis
que ses voisins du Sud,
les 13 colonies américaines,
proclament leur indépendance.

Le roi anglais se fâche. C'est la guerre. Les États-Unis
l'emportent. George Washington est élu président.

# Des têtes, des arbres, coupe! Coupe!

Déchu, condamné, Louis XVI montait lentement à l'échafaud, ce 21 janvier 1793. Depuis le début de la Révolution française, en 1789, pauvre roi! il avait tout tenté pour se maintenir au pouvoir: promesses et mensonges, louvoiements de toutes sortes. Il avait essayé de fuir la France, il avait même recherché l'aide d'autres rois, ennemis comme lui de la Révolution.

Où s'était-il trompé? Voilà ce que ce roi faible et un peu borné tournait et retournait dans sa tête, qui bientôt ne lui servirait plus à rien. Elle déboulerait dans un panier d'osier, tranchée net par le couperet de la guillotine.

Quelle idée j'ai eue, pensait-il, d'aller me fourrer le nez dans cette guerre d'indépendance américaine. Oui, une bonne petite vengeance contre l'Angleterre, mais qui a grugé une grosse partie du trésor. Le pays était déjà dans les dettes par-dessus la tête. Plus personne ne voulait prêter. Je n'avais pas le choix que de faire une réforme et d'aller chercher plus de taxes. Mais là, évidemment, les riches se sont ligués contre moi, puis le peuple contre les riches et finalement, tous contre moi. La Révolution, maudite révolution! ruminait-il.

Crac! Le couperet tombe. Finie la gloire des Bourbons. La plus grande dynastie des rois de France ne sera jamais allée au bout de son rêve grandiose en Amérique.

Pendant ce temps, c'est George III qui règne sur l'empire d'Angleterre. Homme de bonne volonté, mais petite tête! Il a hérité de la Nouvelle-France, mais il n'arrive pas à conserver les colonies américaines. Ces bouleversements finiront même par emporter sa petite tête qui chavira dans la folie.

En parlant de tête, on peut se demander où Napoléon avait la sienne lorsqu'il brada le vaste territoire de la Louisiane aux Américains pour 11 millions de dollars, la plus grande aubaine de l'histoire du monde: 3 cents l'acre! Outre la Louisiane, on découpa douze autres États dans ce joli morceau de continent que la France devait aux Jolliet, Marquette et de La Salle.

L'Angleterre, de son côté, a décidé de couper le Canada en deux: le Haut-Canada, où vivent la majorité des Anglais, et le Bas-Canada, où sont groupés les Canadiens français. Les voisins américains attaquent encore une fois, en 1812; ils voudraient bien annexer ces Canadas. Mais non: ils seront repoussés de nouveau. Les Canadiens, eux, préfèrent rester distincts de leurs voisins américains!

Mais pour beaucoup de Canadiens français, ces histoires ne sont que du blabla politique. Leur vie à eux est dans la forêt. L'Angleterre est affamée de bois, comptez sur les Canadiens pour lui en couper! On dirait que chaque homme est devenu bûcheron.

Les bûcherons ne rêvent qu'à la première neige. C'est alors qu'ils peuvent prendre le chemin du bois. Chaque matin, à la barre du jour, ils sortent de leurs cabanes tièdes et enfumées pour attaquer la forêt. Les arbres s'inclinent les uns après les autres devant ces forcenés qui ahanent comme des taureaux furieux à chaque coup de leurs puissantes haches.

Les troncs ébranchés sont traînés sur la neige jusqu'aux cours d'eau gelés. À la fonte des glaces, le bois descend au fil du courant, guidé par de téméraires draveurs qui dansent sur les billes jusqu'aux scieries. C'est l'intendant Talon qui, le premier, eut l'idée de transporter le bois en le faisant flotter.

Le plus grand, le plus fort de tous les bûcherons, ce fut Jos Montferrand. Ce Canadien français n'aurait pas reculé devant Hercule, parole d'honneur! Tiens, on l'a vu une fois, à Hull, mettre en fuite cent-cinquante Anglais qui essayaient de lui bloquer l'entrée d'un pont. Il empoigna le plus gros de ces mécréants par les chevilles et faisant de terribles moulinets, il les faucha tous. Une autre fois qu'il avait très soif, on l'a vu boire tout un lac! On l'a aussi vu, d'une seule main, arracher une grande épinette et s'en servir comme d'un peigne.

Pas un bûcheron du temps n'aurait hésité à parier sa paie en faveur de Montferrand contre Hercule... ou même Goliath!

L'Angleterre taille le pays en deux: le Haut et le Bas-Canada. Pas de révolution ici: juste le parfum frais du bois coupé.

En France, les sans-culottes font rouler la tête du roi. La Louisiane est vendue par Napoléon pour une bouchée de pain. Le rêve américain des Français s'écroule.

# Une Poignée de Patriotes

Louis-Joseph Papineau, capitaine de milice, fixait les flammes du bivouac. L'air venant du lac Champlain était vif. Quelle bénédiction, ce feu! Il réprima un frisson. Il pensait à son père qui avait dû prendre les armes lui aussi pour défendre le Canada. Petit, son père Joseph avait vu, les larmes aux yeux, les troupes françaises s'embarquer après la défaite, mais cela ne l'avait pas empêché ensuite de se joindre à l'armée pour défendre la monarchie britannique et ses institutions contre l'invasion américaine, en 1776.

Louis-Joseph était de la même trempe. En cette soirée de 1814, les Américains menaçaient de nouveau le Canada. Il le défendrait. Cette invasion aussi fut repoussée. Heureusement, car le jeune Papineau, avocat de profession et député depuis trois ans, n'était pas un homme de guerre: c'était un homme de combat.

Louis-Joseph voulait changer les choses. Il était entré en politique pour cela. Mais il commençait à déchanter sur ces fameuses institutions britanniques pour lesquelles son père et lui avaient risqué leur vie.

Papineau croyait que le Bas-Canada avait assez progressé pour que l'Angleterre lui laisse un peu plus de liberté. Les Anglais du Haut-Canada partageaient cet avis, eux aussi, et regimbaient devant la toute puissante autorité du gouverneur anglais et de sa clique.

Depuis cette soirée à grelotter au bivouac, la vie de Louis-Joseph avait beaucoup changé. Il était devenu chef du Parti patriote et avait été élu orateur de la Chambre à Québec. Il avait épousé Julie Bruneau, fille d'un riche marchand, et frayait à Montréal avec les Cherrier, les Viger, les Duvernay. C'était tout un «monsieur», même un «seigneur», puisqu'il avait racheté de son père la seigneurie de la Petite-Nation, à Montebello.

Papineau dressa à l'intention de Londres la liste de ce qui devrait changer dans le Bas-Canada: 92 réformes!

Les patriotes voulaient entre autres que l'assemblée élue possède de vrais pouvoirs. Après tout, elle représentait la majorité canadienne-française.

Eh bien! Londres dit non à tout. En 1837, c'est la révolte!

Les patriotes décident de proclamer une république et, s'il le faut, de l'imposer par les armes. Papineau, plus conciliant, voudrait négocier encore, mais pour ses partisans qu'il a enflammés, se battre paraît le seul moyen d'obtenir justice.

Les autorités ont flairé le vent. Leur armée marche sur Saint-Denis où sont barricadés les patriotes, commandés par le Dr Wolfred Nelson. Juste avant la bataille, Nelson demande à Papineau de s'enfuir. Qu'il reste un chef au cas où l'affaire tournerait mal. Ce jour-là, ça ira bien! À l'abri dans deux maisons de pierres, la petite bande de tireurs du Dr Nelson met en déroute l'armée anglaise que commande un galonné, vétéran de la bataille de Waterloo. Méchante gifle!

Les Anglais sortent alors leurs gros canons, le nettoyage va commencer! À Saint-Charles, ils déciment les patriotes, rasent le village. À Saint-Eustache, les 200 hommes de Chénier font face à 1200 soldats. C'est le massacre! Chénier est tué aussi. À Saint-Benoît, même chose. On brûle les maisons, on jette les femmes et les enfants dehors en plein hiver. Calamité!

Plusieurs patriotes, dont Papineau, ont fui aux États-Unis. La répression sera sans pitié. À Montréal, douze patriotes seront pendus, des centaines jetés en prison. À Toronto, William Lyon Mackenzie aurait voulu profiter de ces événements pour se révolter aussi, mais il ne trouva presque pas de partisans. Les Anglais en pendirent quand même deux! Puis, Londres dépêcha Lord Durham afin de faire enquête.

«C'est simple, rapporta Durham, on n'a qu'à unir les deux Canadas. Les Canadiens français seront vite submergés par les Anglais». «Après tout, conclut-il avec mépris, ces Canadiens français ne sont qu'un peuple illettré et sans histoire.»

Les Canadiens français du Bas-Canada
réclament plus de pouvoirs. Papineau,
leur chef, se fait dire NO! à Londres.
La révolte éclate. L'armée anglaise se
rue sur les patriotes avec des canons.
Menacée, Julie Papineau se réfugie
à la seigneurie Dessaulles avec sa
petite famille, à Saint-Hyacinthe.
Son mari fuit aux États-Unis.

La révolte est matée, mais un tison
d'indépendance brûle encore dans
le cœur des Canadiens français!

# Un Jouet à Vapeur

Mister Macdonald, il nous faudrait un train! Un train, c'était devenu le dada des politiciens qui entouraient Macdonald, en ce bel après-midi de 1864, à l'Île-du-Prince-Edouard. Venus des deux Canadas et des trois colonies maritimes, ces hommes avaient une idée fixe: ils voulaient un gros jouet à vapeur. Il y avait des trains partout aux États-Unis, ils en voulaient un aussi chez eux!

Avant de commencer à poser les rails, il faudrait peut-être décider d'un parcours pour ce fameux train. En effet, toutes les colonies anglaises d'Amérique étaient séparées les unes des autres, comme les morceaux d'un puzzle à la traîne.

Après la révolte de 1837, Londres avait proclamé un acte d'union entre le Bas et le Haut-Canada, changé les noms pour Canada-Est et Ouest, mais on ne peut pas dire que c'était le fol amour entre les catholiques canadiens-français de l'est et les protestants anglais de l'ouest. Certains, les «orangistes», étaient très amers vis-à-vis des Canadiens français et bon nombre de ces derniers n'avaient pas pardonné aux Anglais d'avoir pendu les douze patriotes.

Et du côté de l'Atlantique, il y avait Terre-Neuve, l'Île-du-Prince-Edouard, le Nouveau-Brunswick et la Nouvelle-Écosse qui vivaient toutes séparément sous la tutelle de la reine Victoria. Alors pourquoi ne pas faire l'union de ces territoires? Quel beau trajet pour un train! Et cette union calmerait peut-être aussi la convoitise des Américains qui n'arrêtent pas de loucher vers le nord.

John A. Macdonald et son bras droit du Québec, George-Étienne Cartier, proposent de grouper toutes les colonies de l'Amérique du Nord britannique, même Terre-Neuve! «Hip hip hourra!» s'écrient les délégués de Charlottetown qui voient déjà leur beau chemin de fer.

Le 1er juillet 1867, la reine Victoria règne sur le nouveau Dominion du Canada qui réunit les trois provinces maritimes, et les Canada Est et Ouest, devenus le Québec et l'Ontario.

La Confédération, d'accord, mais le train? D'autant que le nouveau premier ministre John A. Macdonald vient d'épouser Agnes qui adore les trains et veut faire le voyage inaugural jusqu'au Pacifique, assise avec son chat sur le chasse-pierres, en avant de la locomotive.

Minute, Agnes! Pour se rendre au Pacifique, il faut mettre le grappin sur ces territoires de l'Ouest, propriété d'Hudson's Bay Company. George-Étienne Cartier se rend lui-même à Londres bâcler la transaction. Pardon! Sur ces territoires, habitent les Métis à qui on n'a pas demandé leur avis. Ils se révoltent, le jeune Louis Riel à leur tête. Il y a des Indiens aussi! «Qu'est-ce qu'ils s'imaginent, fulmine le vieux chef cri Poundmaker, que notre terre est du pemmican qu'ils vont séparer à leur guise en nous redonnant des miettes?»

Mais quand on a décidé de faire rouler un train à vapeur, ôtez-vous de là! La révolte métisse sera matée, Riel pendu! Les Indiens seront parqués dans des réserves, on leur enlève même leurs enfants pour les enfermer dans des écoles où ils seront «blanchis et canadianisés». Voilà le Manitoba formé!

La Colombie Britannique, qui avait été tentée de choisir les États-Unis, fait signe au Canada qu'un petit train peut-être, qui s'étirerait jusque chez elle... Pourquoi pas! Alors, elle se rattache à la Confédération, suivie de l'Alberta et de la Saskatchewan. Pour le train, pas besoin de Terre-Neuve, qui se fera tirer l'oreille jusqu'en 1949. Allons-y sans elle.

Ce travail de géant commence. On ne sait même pas si un train peut traverser les Rocheuses. «Il faut que ça passe!», rugit l'ingénieur en chef Van Horne. Des centaines de pauvres travailleurs vont perdre la vie, mais ça va passer!

En 1885, la dernière traverse est clouée et le nouveau pays commence à tenir ensemble grâce à son chemin de fer. Agnes Macdonald s'installe sur le chasse-pierres pour la traversée des Rocheuses tandis que son mari sirote confortablement son whisky favori dans le wagon de première.

1869

La reine Victoria signe l'Acte de l'Amérique du Nord britannique. Maintenant, le Québec fait partie du Dominion du Canada!

Les pères de la Confédération, John A. Macdonald à leur tête, célèbrent leur union avec un beau cadeau : un train à vapeur, d'un bout à l'autre du Canada!

1811

1949

1870

1867

1867

1873

1867

1867

1905

# Tramp, le Chat Vagabond

Tramp n'était pas un chat comme les autres. Il avait toute une histoire! *(C'est lui qu'on voit en bas, à droite, sur le toboggan)* Il a beaucoup vieilli, son pelage a même commencé de grisonner. Pour admirer Tramp dans sa splendeur, il faudrait remonter d'une page. C'est lui qui accompagne M^me Macdonald, sur le chasse-pierres de la locomotive, pour la première traversée des Rocheuses.

Lorsque le premier ministre Macdonald était monté à bord du transcontinental avec sa femme Agnes, pour le voyage inaugural, en 1886, Tramp s'était faufilé avec eux à leur insu. Quand on le découvrit dans le train, le premier soir, sir John était si furieux qu'il but plus de whisky que de raison. C'est simple, sans sa femme pour l'en empêcher, sir John aurait balancé Tramp par la fenêtre.

Après deux jours, alors que le train longeait les rives infinies du lac Supérieur, le couple Macdonald s'était fait à la présence du chat dont les culbutes amusaient bien les autres personnalités à bord. Mais Tramp avait aussi compris pourquoi sir John avait été si furieux de le voir là. En quittant la maison d'Ottawa, le chat y avait abandonné sa vieille mère de quatorze ans, «Toinette». Pour sir John, ce geste était impardonnable.

Toinette était la chatte de sir George-Étienne Cartier, bras droit de Macdonald. Mais, lorsque les Cartier durent partir pour Londres où sir George alla se faire soigner pour une grave maladie, ils confièrent Toinette et son petit Tramp aux MacDonald. Hélas, sir George mourut à Londres et sa femme Hortense, inconsolable, alla finir ses jours au soleil de Cannes. Toinette et Tramp se fixèrent donc chez les MacDonald jusqu'au moment où, le goût de l'aventure l'emportant sur la piété filiale, Tramp se glissa dans le train.

La présence de ce fichu Tramp rappelait à sir John le souvenir de son ami George-Étienne qu'il avait pleuré à chaudes larmes, en pleine Chambre, devant les députés émus.

Sa mère Toinette, Tramp ne la revit jamais car, sur le chemin du retour, obéissant à une étrange impulsion, il sauta du train. Après des mois d'errance, il atteignit Montréal. Il était grand temps, l'hiver approchait.

Tramp arriva le jour même d'une manifestation monstre de cinquante mille personnes révoltées par la pendaison de Louis Riel, le Métis condamné à mort parce qu'il avait voulu défendre le territoire des siens, usurpé pour le chemin de fer. Dans son discours, Honoré Mercier, futur premier ministre du Québec, s'écria qu'il était du devoir fraternel de la province de protéger les minorités françaises dans toute l'Amérique!

Tramp entendait pareil discours pour la première fois et ça lui alla droit au cœur. C'est alors qu'il choisit de faire sa vie à Montréal.

C'était son premier hiver dans une aussi grande ville et il fut émerveillé par les châteaux de glace qu'on y élevait pour le carnaval. C'est dans la tourelle d'un de ces châteaux qu'il se réfugia pour se protéger d'une tempête. En se promenant sur le chemin de ronde, il vit au loin des bateaux sur le fleuve. Il fut étonné: c'était gelé! Il alla traîner de ce côté-là pour se rendre compte que ces voiliers glissaient sur des patins à lames aiguisées. De la voile sur glace!

Tramp s'aventura sur le pont Victoria que l'ingénieur Hodges avait conçu comme un long couloir de fer, presque étanche. Mauvaise idée! À chaque traversée, les passagers devenaient noirs de suie. On refit la structure, celle qui existe encore.

Tramp suivit ensuite le traîneau rouge de la poste dans l'espoir de trouver une famille d'accueil. Le facteur s'arrêta au marché Bonsecours où un enfant remarqua Tramp à moitié gelé. «Tu t'appelles comment?» Le chat ne parlait pas encore français. «Tu vois bien que c'est un vagabond», dit sa mère à l'enfant. Tramp miaula, se frôla contre le petit garçon qui le prit dans ses bras. Malin, le chat savait qu'il venait de trouver un foyer. Et qu'on lui apprendrait le français.

En 1900, avec ses 267 000 habitants,
Montréal est la métropole du Canada.
L'hiver, quand la neige a neigé,
c'est une féerie de châteaux de carnaval,
de glissades et de jeux de glace !

Dans l'histoire du monde, il n'y a peut-être jamais eu d'époque plus trépidante que le passage au vingtième siècle. Cette nouvelle ère a vu les changements se succéder avec une rapidité qui donne le vertige.

Tiens, juste à la fin du siècle précédent, le terrien allait encore à pied, à cheval, à dos d'âne et de chameau ou dans des voitures tirées par des chevaux, ou même des chiens. Il arrivait aussi à voyager sur l'eau dans des embarcations mues par le vent ou à force d'aviron.

Ce vingtième siècle changerait tout. Désormais, on pourrait voyager par train ou par automobile; traverser les villes en bus ou en métro; voler en avion, aller sur la lune en fusée; voyager sur l'eau dans des bateaux à moteur, sans l'aide du vent, et même «sous» l'eau dans des sous-marins.

Pendant ce tournant de l'histoire, le Québec fut mêlé à trois guerres. Et chacune d'elles distança un peu plus les Canadiens français des Anglais au lieu de resserrer leurs destins. D'abord, il y eut la guerre de l'Angleterre contre les Boers, en Afrique du Sud. Au premier coup de feu, les Canadiens anglais voulurent aller se battre aux côtés des Britanniques. Henri Bourassa, le fondateur du journal *Le Devoir*, mit tout de suite le holà! De quoi je me mêle! Qu'est-ce qu'ils nous ont fait les Boers?

Puis, c'est la Première Grande Guerre, de 1914 à 1918. La Grande-Bretagne ne s'est pas encore fait écorcher l'ongle du petit doigt que le Canada anglais veut voler à son secours. Les Québécois vont défendre l'Europe volontairement, soit! Mais pas question de les y obliger. Ils s'enrôlent d'ailleurs par milliers. Mais Ottawa vote quand même la conscription!

Deuxième Guerre mondiale: la conscription divise encore Canadiens anglais et français! À Ottawa, le premier ministre King l'avait juré: pas d'enrôlement forcé, mais il veut être relevé de son serment! Le Québec vote non, ce qui n'empêche pas ses soldats de se couvrir de gloire en Europe. On leur fait faire à Dieppe un essai de débarquement. 3000 sont tués.

C'est justement pour préparer un peu plus sérieusement le débarquement que se réunissent deux fois à Québec, en 1943 et 44, le premier ministre Churchill de Grande-Bretagne et le président Roosevelt des États-Unis, reçus par Mackenzie King.

«L'attaché-case de M. Churchill!» Au Château Frontenac, la téléphoniste relaie le message. On est aux abois. Churchill a quitté l'hôtel en oubliant sa serviette qui contient... Non! Eh oui! Les plans mêmes du débarquement. Le petit soldat qui retrouve l'attaché-case sera enfermé, bec cloué, jusqu'au moment de l'invasion de Normandie.

Enfin, en 1945, c'est la victoire!

Un inventeur de Valcourt, patelin perdu, y avait contribué. Armand Bombardier avait inventé un machin à skis et chenilles qui n'avait peur ni de la neige ni du sable ni des marécages. Cette auto-neige, armée et blindée, a transporté les soldats alliés où rien d'autre ne pouvait circuler.

Ce n'était pas la première chose étonnante qu'on faisait. À Québec, on avait réussi finalement, en 1917, à ériger sur le fleuve un pont magnifique dont l'ingénieur Eiffel lui-même avait dit qu'il ne tiendrait jamais. Il s'écroula une fois, on dut se reprendre, mais il tient depuis ce temps-là! Plus tard, le jeune architecte Moshe Safdie jonglera avec des boîtes qu'il empilera pour faire un Habitat qui tient depuis Expo 67.

Après tout, le Québec avait déjà un poste de radio en 1922. Le téléphone, n'en parlons pas! Il y avait déjà à cette époque-là presque deux-cents compagnies de téléphone.

— Allô, à qui désirez-vous parler?

— Monsieur Maurice Duplessis, s'il vous plaît!

— Allez-y, le premier ministre est en ligne!

— M. le premier ministre, si vous permettez, la population aurait une suggestion: elle croit que le temps est venu pour le Québec d'avoir son propre drapeau...

Et ce drôle d'homme, pourtant si conservateur, donna au Québec son beau drapeau à fleurs de lys.

1914·1918

1939-1945

R-100

2004

Vingtième siècle! Ère moderne! Temps de
deux guerres mondiales. Temps de grandir
pour les Canadiens, français et anglais,
qui commencent à mesurer leurs différences!

Le drapeau à fleurs de lys flotte désormais
à Québec, signal d'un pays perdu retrouvé!

# L'Air est Électrique

L'air est électrique, en ce mois de juin 1960. Le Parti libéral a choisi le slogan électoral «C'est le temps que ça change» et la population lui donne entièrement raison! L'Union nationale est renvoyée dans l'opposition par un grand coup de balai. Il faut dire qu'elle a perdu son fondateur, Maurice Duplessis. Elle vient de mettre en terre son cercueil, enveloppé dans le drapeau fleurdelysé.

Jean Lesage est désormais à la tête du Québec. Mais avant tout, il est entouré de gens qui ont pris leur slogan au sérieux. Ils veulent que ça change et nul davantage que le fougueux journaliste René Lévesque. Ôtez-vous de là! Un an plus tard, il y a déjà en place une assurance-hospitalisation gratuite et un ministère des Affaires culturelles.

Lévesque, pour sa part, décide de mordre dans un très gros morceau. Il veut nationaliser les compagnies d'électricité. Le Québec possède d'énormes ressources hydro-électriques et, à la Manicouagan, la construction d'un des plus grands barrages du monde est commencée. Lévesque se dit que l'électricité doit devenir le pilier de l'économie québécoise. Lesage a un choc! Et toutes ces compagnies donc, qui se font un joli magot à revendre aux Québécois leurs propres ressources.

Non, réfléchit Lesage, c'est trop grave, il faut demander l'avis du peuple là-dessus. On retourne en élection avec un nouveau cri de ralliement: «Maîtres chez nous!»

L'air est électrique! Le Québec veut être maître chez lui. Il veut son Hydro-Québec, il veut une Société de financement pour ses entreprises, il veut des rentes pour les gens âgés, il veut une réforme de l'éducation, il veut être présent dans le monde francophone. Il a faim de tout. Ce Québec vorace a déjà congédié Lesage, le père d'une révolution qui devait être «tranquille». Aussi, lorsqu'il se rend inaugurer le barrage Manic 5 avec Lévesque, Jean Lesage a déjà été remplacé par Daniel Johnson, nouveau premier ministre. Hélas, ce dernier meurt sur place, devant cet ouvrage de fierté nationale.

Les Québécois se sentent si maîtres chez eux, ils se disent: tiens, c'est le moment d'accueillir la terre. Le maire Drapeau convie tout le monde à une exposition universelle, à Montréal. Expo 67, ce sera toute une affaire! On invente même des îles dans le fleuve. L'univers comprendra ce qui avait jadis tant électrisé les Cartier, Champlain et Maisonneuve.

Le président de la France, le général de Gaulle, remonte le fleuve de ses ancêtres et il pense, ému: ce pays devrait s'émanciper. Il ne peut s'empêcher de le proclamer à l'Hôtel de ville de Montréal. «Vive le Québec libre!», s'écrie-t-il, ses longs bras dressés dans un V de victoire. Il y a de l'électricité dans l'air! Ottawa flanque quasiment de Gaulle à la porte!

Pourtant, le vieux général n'a pas allumé un feu, il a tout au plus soufflé sur les tisons au fond du cœur de beaucoup de Canadiens français. Et ça se remet à flamber!

René Lévesque fonde un parti voué à l'indépendance, mais pour certains ça n'ira pas assez vite. Un Front de libération du Québec prend les grands moyens: il kidnappe un diplomate britannique, puis un ministre même du gouvernement, Pierre Laporte. À la télévision, ce n'est plus *Pépinot* ou *La Boîte à Surprise*, c'est un drame de vie et de mort, d'indépendance ou de soumission auquel sont suspendus les Québécois, pendant des mois. D'Ottawa, le premier ministre Trudeau envoie l'armée. Laporte est retrouvé assassiné. Le premier ministre Robert Bourassa est consterné par ces excès. René Lévesque aussi: ce n'est pas comme ça qu'il avait envisagé la lutte pour la souveraineté.

Ouf! Si on oubliait un peu la politique. Il y a les athlètes du monde entier qui s'en viennent à Montréal pour les Jeux olympiques de 1976. Enfin, pendant quelques semaines, tout le monde respire à l'unisson: Québécois et Canadiens!

Nadia Comaneci, une petite Roumaine, est la vedette des Jeux. L'air est électrique. Sa souplesse, son équilibre exaltent tout le monde. Les politiciens l'admirent... un peu envieux!

Années 50, la télévision s'allume!
Années 60, Hydro-Québec s'allume!
Expo 67, Terre des Hommes s'allume!
Le général de Gaulle vient, voit, s'allume!

Années 70, la violence s'allume!
La flamme olympique s'allume!

Henriette Dessaulles *(c'est elle en robe bleue, dans le fauteuil victorien)* venait d'avoir quatorze ans lorsque dans un grand cahier, elle se mit à écrire chaque jour sa vie, journal de joies et de peines. On était en 1874, à Saint-Hyacinthe. Louis-Joseph Papineau était le parrain de Henriette qui perdit sa mère à trois ans. Son père Casimir se remaria avec Fanny Leman, une belle-mère sévère.

Henriette note: *« La vilaine journée de congé, j'ai eu de la peine et j'ai été méchante dans mon cœur, je le suis encore! Que Jos est heureuse, elle, d'avoir sa vraie mère à qui elle peut demander pardon quand elle a l'âme lourde et triste... Jamais jamais, je n'aurai ce bonheur... »*

Le surlendemain du jour de l'An 1875, Henriette, qui avait été invitée avec une amie pour l'après-midi chez des voisins, les Saint-Jacques, écrit à propos de leur fils Maurice...

*« Nous avons parlé du collège, du couvent, des vacances, de Dickens, et de moi! Eh oui, de moi. Ça, ce n'est pas un sujet ordinaire et il faut une méthode spéciale pour arriver à me faire parler de ma petite personne. Ce que c'est que cette méthode?... Des yeux bleus bien doux, une voix caressante avec l'air de me trouver intéressante... et le tour est joué! »*

Cette petite Henriette a continué de parler d'elle dans ses grands cahiers, puis elle est devenue journaliste. C'était la première fois qu'une femme faisait ce métier au Québec. Et son journal de jeune fille a été publié. Il s'est ajouté à toute la littérature du Québec. Gabrielle Roy, Anne Hébert, Gaston Miron, Yves Beauchemin et tous les autres, qui font retourner dans sa tombe le méprisant Lord Durham.

Et justement, les pissenlits qu'il mange par la racine, ce cher Lord, ils ont été catalogués avec les 3000 autres espèces de la flore laurentienne par le frère Marie-Victorin, celui qui a créé le Jardin botanique de Montréal. Le colon Louis Hébert fut le premier botaniste de l'Amérique et Marie-Victorin, le plus grand!

Les écrivains de théâtre aussi sont comme ce religieux-botaniste. Les pièces de Marcel Dubé, Normand Chaurette ou Carole Fréchette sont des herbiers où reposent paisiblement toutes sortes de spécimens d'humanité. Le rideau qui s'ouvre les réveille et ils viennent sur scène raconter des histoires qui ressemblent aux nôtres.

Nos histoires, on en fait aussi des chansons. Tiens, si je te fredonnais: *Notre sentier près du ruisseau...* Saurais-tu que c'est Félix Leclerc? Et si je te chantais: *Mon pays, ce n'est pas un pays, c'est l'hiver.* Oui, Gilles Vignault! Écoute: *Si j'avais les ailes d'un ange, je partirais pour Québec...* Non? Laisse-moi t'aider un peu. Son prénom, c'est Robert...

— Charlebois!

Et maintenant qu'il y a du cinéma au Québec, on peut aussi filmer nos histoires. *Bonheur d'occasion, Kamouraska, Les bons débarras.* Et on filme des vies de héros. Pense à un héros de hockey. Il portait le numéro «9»... Il avait...

— Je sais! Maurice Richard, le meilleur pour toujours!

Ce peuple d'artistes peint, aussi, et se révolte afin de faire avancer ce qui n'avance jamais assez vite. Borduas, Mousseau et une bande d'amis signent le *Refus Global.* C'est leur coup de pied dans tout ce qu'on leur avait appris. Ils vont peindre à leur façon! Comme Alfred Pellan peint à sa façon, et Lemieux...

Et le plus célèbre de tous, Jean-Paul Riopelle *(c'est lui en bas, avec la casquette et la belle barbe).* Lorsqu'il apprend la mort d'une femme qu'il avait tant aimée, il peint une fresque immense: *Hommage à Rosa Luxemburg.* Dans son atelier de l'Île-aux-Oies, ce curieux homme crie son désespoir avec ses couleurs et il fait ainsi, à sa manière, avancer le monde.

— Ferme les yeux, réfléchis bien, ça va être une question très difficile. Pourquoi y a-t-il des artistes?

— Sais pas!

— Pour «changer la vie» a dit Rimbaud, un grand poète.

# Dans La grande Marmite

La politique, c'est le vol imprévisible d'une sorcière à travers l'histoire d'un pays. Un coup de balai à gauche, un autre à droite, et la sorcière indique le chemin aux lutins qui nous gouvernent. Chaque homme politique est en effet un lutin, persuadé que sa potion magique est meilleure et plus efficace que celle de tous les autres.

La sorcière, elle en a décrit des trajectoires sur son balai, depuis que Jacques Cartier a planté sa croix à Gaspé, en 1534. Elle a survolé un immense pays qu'on avait appelé Nouvelle-France. C'était alors presque toute l'Amérique du nord. Cela allait de Louisbourg, à l'est, jusqu'aux grands lacs, à l'ouest, et jusqu'au golfe du Mexique, au sud. Puis la Nouvelle-France est disparue. Avec la conquête, elle est devenue le Canada pour les Canadiens français.

Autre coup de balai et le Canada s'est trouvé divisé en deux: le Haut et le Bas. Les Anglais habitaient en haut et les Français, en bas. Après la révolte des patriotes, en 1837, un petit coup de balai et ça devient le Canada-Uni. En 1867: remue-ménage! Les colonies britanniques des Maritimes se joignent au Canada-Uni pour former le Dominion du Canada. Et voilà le Québec rétréci à la taille d'un îlot français dans un univers anglais plutôt inhospitalier.

La sorcière-chef, la Reine Victoria, approuve cette grande Confédération et ses lutins, dans leur cuisine d'Ottawa, préparent une potion magique, la même pour tout le monde! Mais cette potion, certains l'avalent de travers!

Trente ans plus tôt, en 1837, les patriotes n'avaient-ils pas réclamé de se gouverner comme ils l'entendaient? On leur avait rabattu le caquet de belle façon. Puis, après la Confédération, les Métis aussi crachent dans la potion fédérale. Pour les punir, on pend Louis Riel.

La sorcière impose sa règle: il y aura un lutin en chef, à Ottawa, pour préparer une potion dont il fournira la recette aux dix autres marmitons des provinces canadiennes.

Cela n'a pas l'air d'être sorcier, mais attention! La plupart des lutins qui ont, tour à tour, fait bouillir la marmite du Québec ont souhaité assaisonner la potion à leur guise.

Même George-Étienne Cartier, Père de la Confédération s'il vous plaît! a déjà tiré sur les Anglais, à la bataille de Saint-Denis. Il faisait feu avec les Fils de la Liberté qui avaient juré, si c'était nécessaire, de prendre les armes pour assurer le triomphe de la cause canadienne-française. Sir Wilfrid Laurier, devenu lutin-chef, avait affirmé à son tour que la Confédération donnait trop de pouvoirs à Ottawa et conduirait à l'anéantissement des Canadiens français.

Pour Honoré Mercier, devenu premier ministre à Québec, ce pacte était une machine à broyer les Canadiens français! Et les lutins qui l'ont suivi: les Duplessis, Johnson et Bourassa ont fait des pieds et des mains eux aussi pour ne pas être noyés dans le grand chaudron. Mais à chaque fois, la sorcière a donné un bon coup de balai et tout le monde a fini, bon gré mal gré, par avaler sa potion!

En 1968, René Lévesque décide que le Québec doit avoir sa propre marmite et brasser sa potion magique. Il fonde le Parti Québécois qui veut reprendre à Ottawa tous les ingrédients de la souveraineté. Qui c'est, ce Lévesque? Merlin l'Enchanteur? Huit ans de luttes plus tard, le 15 novembre 1976, Lévesque s'écrie: «Je n'ai jamais été aussi fier d'être Québécois». Son parti vient de remporter la victoire! Ce petit bonhomme vif, aux yeux bleus, aspire à devenir le sorcier d'un grand peuple.

Après lui avoir donné plusieurs lois et après avoir raffermi sa langue d'origine, Lévesque croit le Québec prêt à devenir le «pays français» d'Amérique. C'est la potion magique qu'il propose dans un référendum. Poudre de perlimpinpin, répond le dragon, à Ottawa. Et le peuple québécois rejette l'idée.

Mais cette idée d'indépendance, c'est un arbre planté dans la tête des Québécois. Avec des racines anciennes. Qui peut empêcher à jamais un arbre de pousser quand il a des racines?

# Qui sont-elles...? Qui sont-ils...?

**Christophe Colomb** est né à Gênes, en Italie, en 1451. Bien que des marins soient venus avant, c'est à lui qu'on attribue la découverte de l'Amérique, en 1492. Le nom du continent vient du navigateur Americ Vespuce.

**Jacques Cartier.** Ce navigateur de Saint-Malo a commencé à explorer le golfe du Saint-Laurent, en 1534. Envoyé par François Ier, il débarque à Gaspé, prend possession du territoire du Canada au nom du roi de France.

**Donnacona,** chef de Stadaconé. Venu pêcher avec ses hommes dans la baie de Gaspé, il fait la rencontre de Cartier. Entre les deux, les relations se gâtent vite. C'est le début des guerres entre Français et Iroquois.

**Samuel de Champlain** fonde Québec en 1608, mais ce n'est pas la première fois qu'il voyage en Nouvelle-France, dont il est le premier vrai colonisateur. Il est mort à Québec, le jour de Noël 1635. Son corps n'a jamais été retrouvé.

**Charles Huault de Montmagny,** le premier gouverneur de la Nouvelle-France. Il arrive en janvier 1636. Il renforce les défenses de la colonie, qui en a bien besoin, et introduit le théâtre. On joue *Le Cid*, à Québec, en 1646.

**Marie de l'Incarnation.** Avant d'être ursuline, Marie Guyart, née à Tours en 1599, s'était mariée et avait eu un enfant. Devenue veuve, elle répond à un appel divin et fonde en 1640 un couvent pour jeunes filles, à Québec.

**Chomedey de Maisonneuve.** Un militaire de carrière, Paul de Chomedey quitte La Rochelle en 1641 pour fonder Montréal. Retenu par l'hiver à Québec, il n'atteint l'île de Montréal qu'en 1642. Il nomme l'endroit Ville-Marie.

**Jeanne Mance.** Partie avec de Maisonneuve, elle fonde l'Hôtel-Dieu de Montréal.
**Mère Marguerite Bourgeoys.** Proclamée sainte par le pape, en 1982. En 1671, elle avait fondé la Congrégation Notre-Dame de Montréal.

**Dollard Des Ormeaux.** Ce soldat a été tué par les Iroquois à la bataille du Long-Sault, en 1660. À 25 ans, avec seize compagnons, il est mort en héros, mettant en déroute une armée d'Iroquois qui attaquaient la colonie.

**Jean Talon.** On se plaisait à dire de lui qu'il fut un «incomparable intendant». Nommé par Louis XIV, en 1665, Talon donna à la Nouvelle-France une impulsion extraordinaire. Talon reparti, la France laissa retomber la colonie.

**M<sup>gr</sup> François de Laval.** Français de naissance, premier évêque de Québec. Il y est mort en 1708, après avoir lutté toute sa vie afin qu'on cesse de distribuer de l'alcool aux Indiens en paiement de leurs fourrures.

**Comte de Frontenac.** Une vraie tête dure, ce gouverneur de la Nouvelle-France. Nommé en 1672, rien ne lui faisait peur: ni les Anglais ni les Indiens. Ni Louis XIV! Le roi le congédie, mais le redésigne en 1689. On a besoin de lui.

**Madeleine de Verchères.** À quinze ans, elle défend le petit fort de ses parents, sur le Richelieu, contre une bande d'Iroquois. On est en 1692. Deux ans plus tôt, sa mère avait eu le même héroïsme. Telle mère, telle fille!

**Pierre de la Vérendrye.** Le plus célèbre d'une famille d'explorateurs. Né à Trois-Rivières, en 1685, ce valeureux voyageur, avec ses fils, étend les frontières de la Nouvelle-France jusque dans l'ouest.

**Jean Nicollet.** Persuadé qu'en marchant vers l'ouest il arrivera en Chine, Nicollet porte une robe de damas. La tribu des Winnebagoes le prend pour un dieu. Explorateur du nord-ouest américain, il meurt à Québec, en 1642.

**Pierre Le Moyne d'Iberville.** Baptisé à Ville-Marie en 1661, il mourut et fut enterré en 1706 à la Havane, après une vie d'aventures. Son patriotisme et sa bravoure n'avaient pas de bornes. Le premier grand héros canadien.

**Jacques Marquette.** Le plus célèbre des Robes noires d'Amérique. Ce jésuite parlait plus de six langues indiennes. Mort en 1675. C'est avec lui que **Louis Jolliet** a découvert le Mississipi qu'il a fait connaître au monde entier. Mort en 1700.

**Henri de Tonty.** Bras droit de Cavelier de La Salle, Tonty explora le Mississipi avec lui.
**Cavelier de La Salle.** Il fonde Lachine et part à l'aventure. Il descend le Mississipi jusqu'au golfe du Mexique. Il y est assassiné en 1687.

**Louis XV,** roi de France. Son règne est marqué par deux grandes guerres. Celle de la succession d'Autriche, puis la guerre de Sept Ans contre l'Angleterre. La Nouvelle-France est cédée à l'Angleterre, en 1763.

**George II.** Ce roi d'Angleterre avait détesté son père et se querellait avec son fils. Quelle chance pour lui d'avoir eu, pendant la guerre de Sept Ans, le brillant premier ministre Pitt pour assurer la gloire de son royaume.

 **Évangéline et Gabriel.** Ce couple d'amoureux a été immortalisé par le poète Longfellow. Il a symbolisé le martyre des Acadiens arrachés à leur pays par les Anglais et déportés aux quatre coins du monde, en 1755.

 **James Wolfe.** Ce général anglais, qui prit Louisbourg en 1758, continua sa campagne en mettant le siège devant Québec en 1759. Le 13 septembre, son armée l'emporte. Wolfe meurt, mais il précipite la chute de la Nouvelle-France.

 **Le marquis de Montcalm.** Retranché derrière les remparts de Québec, ce général, qui ne demandait qu'à retourner en France, attendait que l'hiver le débarrasse de Wolfe. Erreur! Il est vaincu aux Plaines d'Abraham.

 **George Washington,** vainqueur de la guerre de l'Indépendance américaine. En 1789, il est élu président des États-Unis.
**Le marquis de Lafayette** s'enthousiasme pour les Américains et apporte l'aide de la France.

 **Thomas Jefferson,** le principal auteur de la Déclaration d'indépendance américaine. Fils d'un planteur de Virginie, Jefferson devient le 3e président des Etats-Unis, en 1801. C'est à lui que Napoléon vend la Louisiane.

 **Louis XVI** est guillotiné le 21 janvier 1793. La Révolution met fin en France à la monarchie absolue. Certains royalistes indomptables et des membres du clergé, qui se sentent menacés, fuient vers le Canada.

 **George III,** roi d'Angleterre, de 1760 à 1820. Durant son règne, la Nouvelle-France s'ajoute au royaume qui perd par ailleurs les colonies américaines. Il devient un des plus puissants rois d'Europe... mais il perd la boule!

 **Napoléon Bonaparte.** Bonaparte deviendra Napoléon Ier, empereur de France. Il vend, en 1803, l'immense territoire de la Louisiane aux Américains. Inapte à la défendre, il voulait ainsi soustraire la Louisiane à l'Angleterre.

 **Louis-Joseph Papineau.** Tout au long de sa vie politique, il essaiera d'obtenir plus de pouvoirs pour le Bas-Canada. Son nationalisme mène à la révolte de 1837. Né à Montréal en 1786, il meurt à Montebello en 1871.

 **Julie Papineau.** Épouse de Louis-Joseph, cette fille de marchand prend une part active à la politique, mais reste une mère de famille exemplaire. Elle aura cinq enfants: Azélie, Ézilda, Gustave, Lactance et Amédée.

**Victoria.** Cette reine de Grande-Bretagne et impératrice des Indes a donné son nom à l'époque «victorienne». Son règne, de 1837 à 1901, fait encore la gloire de la Couronne d'Angleterre. Montréal lui a dédié un pont.

**John A. Macdonald.** Premier premier ministre du Dominion du Canada, en 1867. Écossais de naissance, artisan de la Confédération avec...
**George-Étienne Cartier,** son bras droit, né à Saint-Antoine-sur-Richelieu, en 1814.

**Tramp,** fils de Toinette, la chatte laissée par les Cartier aux Macdonald à leur départ pour Londres. Tramp prit le goût de l'aventure avec **Agnes Macdonald,** épouse de John, pendant leur traversée du Canada.

**Winston Churchill.** Homme politique et Prix Nobel de littérature. Premier ministre de la Grande-Bretagne pendant la Deuxième Guerre mondiale, il avait prévu depuis longtemps la menace que faisait peser Hitler sur le monde.

**Mackenzie King.** 22 ans premier ministre du Canada. Hôte de la Conférence de Québec.
**Franklin D. Roosevelt,** le seul président des États-Unis élu quatre fois. Sa politique du *New Deal* tire son pays de la grande dépression.

**Maurice Duplessis.** Né à Trois-Rivières en 1890. Il fonde le parti de l'Union nationale et reste premier ministre du Québec pendant 18 ans. Il dirige la province en bon «papa» mais la défend bec et ongles contre Ottawa.

**Jean Lesage.** Premier ministre du Québec, de 1960 à 1966. Il est considéré comme le père de la Révolution tranquille qui fit du Québec un État moderne. C'est son nom que porte la route entre Québec et Montréal.

**Daniel Johnson.** Dauphin de Duplessis, Daniel Johnson fut élu premier ministre du Québec en 1966. Deux de ses fils, Daniel et Pierre-Marc Johnson occupèrent aussi brièvement cette haute fonction.

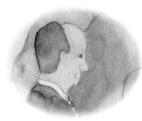

**René Lévesque.** Il laisse le journalisme pour la politique. Ministre du gouvernement libéral Lesage, il est l'artisan de la nationalisation de l'électricité. Chef du Parti Québécois, élu en 1976, il lutte pour l'indépendance du Québec.

**Charles de Gaulle.** Les Allemands occupent la France en 1940. Le général de Gaulle fuit à Londres, prend le commandement des forces libres. Devenu président de la France, il vient à Montréal en 67 et crie: «Vive le Québec libre!»

# Table des Matières

**Marie-José Raymond**

Producteur de cinéma, Marie-José Raymond était bien préparée pour raconter la Nouvelle-France.
Elle est licenciée en histoire de l'Université de Montréal, arrière petite-nièce de Louis-Joseph Papineau,
chef des patriotes de 1837, et arrière petite-fille de Henriette Dessaulles qui écrivit sous le pseudonyme de Fadette.


**Claude Fournier**

Poète et romancier, Claude Fournier est aussi réalisateur de cinéma.
Il a créé, il y a longtemps, plusieurs personnages pour la télévision jeunesse dont celui du clown Sol.